Le nouveau dinosaure de George

Texte français d'Isabelle Allard

Les données de catalogage avant publication sont disponibles.

Cette édition est publiée en accord avec Entertainment One.
Ce livre est basé sur la série télévisée *Peppa Pig*.
Peppa Pig est une création de Neville Astley et Mark Baker.

Édition publiée par les Éditions Scholastic, 604, rue King Ouest, Toronto (Ontario) M5V 1E1 CANADA.

5 4 3 2 1 Imprimé en Malaisie 108 20 21 22 23 24

Conception graphique : Jessica Meltzer

Le jouet préféré de George est M. Dinosaure.

George aime faire rebondir M. Dinosaure dans le jardin, jouer avec lui dans la baignoire et se blottir contre lui quand il s'endort le soir.

À l'heure du coucher, Peppa dit à George :

— Je pense que M. Dinosaure est brisé!

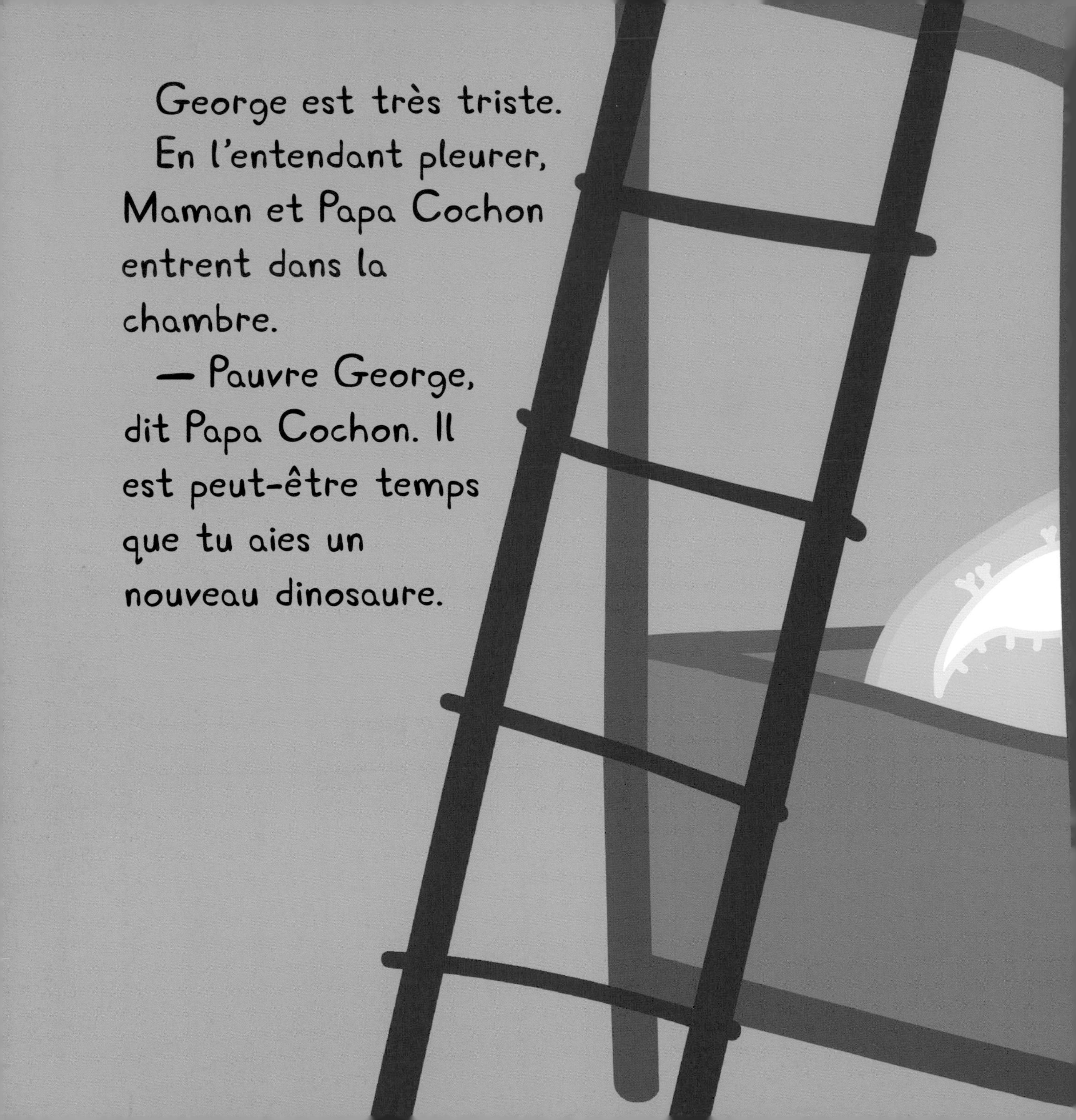

George est très triste. En l'entendant pleurer, Maman et Papa Cochon entrent dans la chambre.

— Pauvre George, dit Papa Cochon. Il est peut-être temps que tu aies un nouveau dinosaure.

Le lendemain, Peppa, George, Maman et Papa Cochon vont au magasin de M. Renard.
— Je suis sûre qu'on trouvera un beau dinosaure ici, dit Maman Cochon.
— Regarde, George! dit Papa Cochon. Il y en a un gros dans la vitrine!
— Dinosaurrrrrr! s'écrie George.

— Bonjour! dit M. Renard. Puis-je vous aider?

— On aimerait acheter le dinosaure dans la vitrine, s'il vous plaît, dit Papa Cochon.

— Excellent choix! dit M. Renard. Rugisaure peut marcher, parler et chanter!

— Rugisaure! répète George.

— On le prend! déclare Papa Cochon.

George joue avec Rugisaure dans le jardin.

Rugisaure chante :

— Rugisaure, Rugisaure! Écoutez Rugisaure rugirrrrrr!

— Attention, George, dit Papa Cochon. Ne sois pas trop brusque, car il pourrait se briser.

George veut jouer avec Rugisaure dans son bain.

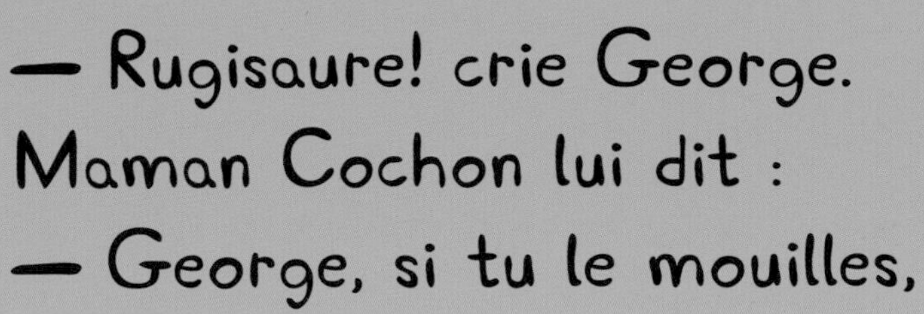

— Rugisaure! crie George.
Maman Cochon lui dit :
— George, si tu le mouilles,
il ne fonctionnera plus.

Peppa et George sont endormis. Tout à coup, Rugisaure s'anime!

— Écoutez Rugisaure rugirrrrrr!

— George! proteste Peppa. Rugisaure m'a réveillée!

— Peut-être que Rugisaure devrait dormir ailleurs, dit Papa Cochon en sortant de la chambre avec le jouet.

George est triste. Il ne peut pas jouer avec Rugisaure dans le jardin, ni dans la baignoire, ni dans son lit.

— Ne t'en fais pas, George, lui dit Maman Cochon pour le consoler. Rugisaure peut encore rugir!

— Rugisaure! Écou... Ru... gir...

Rugisaure cesse de marcher et de parler.

— Je pense que les piles sont usées, dit Maman Cochon.

— Déjà? Combien y en a-t-il? grommelle Papa Cochon en sortant les piles du jouet.

— Des centaines et des milliers! s'écrie Peppa.

Tout à coup, Peppa aperçoit quelque chose de vert sous un buisson.

— Qu'est-ce que c'est? demande-t-elle. Une trompette?

— Tu as trouvé la queue de M. Dinosaure! dit Maman Cochon. Maintenant, Papa Cochon va pouvoir le réparer.

— Ce sera peut-être difficile, dit Papa Cochon d'un air hésitant.

Mais la queue se remet facilement en place. Papa cochon se met à rire :

— Ha! Ha! Ha!

— Bonjour, M. Dinosaure! dit Peppa.

— Dinosaurrrrrr! s'écrie George.

George est très content de retrouver son jouet préféré!

Grrr!